À Matt, qui m'accompagne au musée quand je le lui demande.
OL

À nos petits lecteurs. Merci de faire de notre Loup
votre compagnon d'aventures.
ET

Le loup
qui enquêtait au musée

Texte de Orianne Lallemand
Illustrations de Éléonore Thuillier

AUZOU

Il était une fois un loup qui n'aimait pas aller au musée.
« Les musées, c'est ennuyeux », répétait-il autour de lui.

Mais voilà qu'un matin, tous ses amis se présentèrent chez lui :
« Aujourd'hui, on t'emmène au musée », lui annonça
sa louve chérie.
Loup fit la grimace, mais comme il était très amoureux, il dit oui.

3

Louonard de Vinci

Maître Hibou débuta la visite par son œuvre préférée, un tableau de Louonard de Vinci, connu dans le monde entier.

« Ce tableau a été peint vers 1503, commença-t-il, vous pouvez y admirer une mystérieuse beauté...

Titi

Velousquez

Wolfmeer

Arcimboldloup

– C'est vrai qu'elle est jolie », chuchota
Valentin en se tournant vers Loup.

Mais déjà, Loup n'était plus là !

Dans la salle d'à côté, Loup s'était arrêté devant un tableau. Surpris, il pencha la tête pour mieux le regarder. Est-ce qu'il voyait mal ou bien est-ce que cette toile était vraiment... spéciale ?

Pabloup Picassou

Un petit rat éclata de rire près de lui :

Pabloup Pi...

Paul Kloup

« C'est un portrait peint par Pabloup Picassou.
Allez, ne fais pas cette tête-là et suis-moi ! Aussi vrai
que je suis Barnabé, gardien de ce musée, nous allons
trouver une œuvre d'art qui te plaira. »

Frida Kahloup

H-A Jacquemart

Joyeusement, Barnabé entraîna Loup
dans la pièce suivante.
« Voici notre collection de sculptures.
Certaines ont plus de mille ans, d'autres à peine vingt !
– Magnifique ! s'exclama Loup en se hissant sur le dos
d'un superbe animal blanc.

– Hé ! Veux-tu descendre de là ?
le gronda Barnabé. C'est fragile,
une œuvre d'art... »
À cet instant précis, une sirène se déclencha.

BIIIIIIIP !!!!

La Vénus de Miloup

Pompon

« C'est la grande alarme du musée ! s'inquiéta Barnabé.
Je dois filer : quelque chose est arrivé. »

Loup essaya de rattraper Barnabé, mais ce musée était un vrai labyrinthe ! Découragé, il s'arrêta dans une pièce étonnante.

Sur le mur, une inscription disait :
« Réveillez l'artiste qui dort en vous ! »

Loup s'approcha pour observer de plus près
un paysage enneigé. Il connaissait cet endroit :
n'étaient-ce pas les montagnes de l'Himalaya ?
« Au voleur ! Au voleur ! » entendit-il alors crier.
C'était la voix de Barnabé !

Guidé par les cris, Loup retrouva enfin le petit rat.
Il était dans tous ses états.

« Notre masque tibétain a disparu. Il est unique au monde,
c'est une catastrophe !

– Restons calmes, fit Loup en regardant autour de lui.
Le voleur n'est peut-être pas loin... Ne seraient-ce pas
des traces, ici ? »

Tigre à dents de sabre

Dodo

14

Grand pingouin

En suivant les empreintes,
Loup et Barnabé pénétrèrent
dans une immense galerie.

Impressionné, Loup s'arrêta
devant une drôle de bête.
« C'est un dodo, lui expliqua
Barnabé, une espèce qui
n'existe plus aujourd'hui. »

Loup en resta baba :
décidément, les musées,
c'était plus intéressant
qu'il ne le pensait.

À l'entrée de la salle suivante
se dessinait une ombre inquiétante.
« Euh, le voleur n'est certainement
pas ici, bredouilla Loup en reculant
– Ce n'est qu'un squelette
de dinosaure, gros bêta ! le rassura
Barnabé. Allez, dépêche-toi !
Les traces continuent par là... »

Le mammô
laineux

Mammouth

DINOSAURES

17

Œuf dur
de ptéranodindon

Loup

Tricératopless

Loup s'avança prudemment
entre les dinosaures.

18

C'est alors qu'il aperçut
quelque chose sur le sol...
C'était un petit nœud.
Un petit nœud rose
couvert de... poils roses.
Il fronça les sourcils.
Ses soupçons se
confirmaient...

Pensif, Loup se hâta de
rejoindre le petit gardien.

Peintures rupestres de la grotte de Louscaux

Silex

LOUP

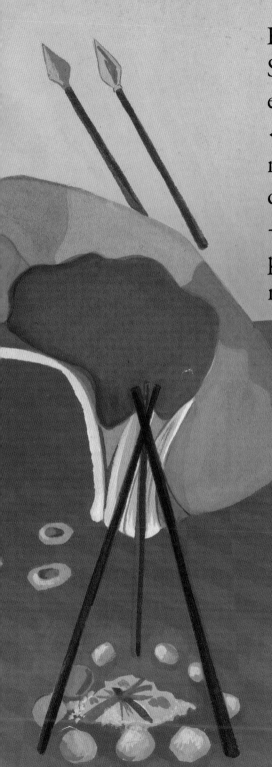

Barnabé l'attendait près d'une hutte.
Sur le sol, il y avait des bols de terre cuite
et des outils préhistoriques.
« Grâce à ces objets, on sait comment vivaient
nos ancêtres, expliqua Barnabé. Et je viens
de m'apercevoir qu'il manque un silex !
– Certainement celui que le voleur a utilisé
pour casser la vitrine du masque... »
murmura Loup.

BOUM ! entendit-on
alors au fond de la pièce.
« Il y a quelqu'un là-bas ! »
cria Barnabé.

Les deux compères se lancèrent à la poursuite de l'ombre.
À bout de souffle, Barnabé s'arrêta devant le sarcophage
du pharaon Toutankhanine.
« Je n'y comprends rien, cette salle est sans issue.
À croire que le voleur s'est volatilisé !
– Je ne crois pas », fit Loup en tendant la patte vers
le sarcophage.
– Ah non ! se fâcha Barnabé. Je t'ai déjà expliqué
qu'on ne touche pas aux œuvres d'art ! »
Mais ce qu'il y avait à l'intérieur lui coupa le sifflet...

À l'intérieur du sarcophage, il y avait... Demoiselle Yéti !
Elle tenait dans ses bras le masque volé.
« Je me doutais que c'était toi, soupira Loup. Allez Titi, sors de là. »

Demoiselle Yéti éclata en gros sanglots.

« Je-je suis vraiment-ment dé-dé...solée, hoqueta-t-elle.

Mais ce masque-que ressemble tel-tellement à mon pa...pa.

Je n'ai pas-pas pu m'en em...pêcher.

– Allez, allez, on ne pleure plus, fit le petit rat, ému.

Nous allons le remettre à sa place et personne

n'en saura rien. »

Tandis que Loup rejoignait les autres, ses yeux furent attirés par une peinture : on aurait dit sa forêt, mais en beaucoup plus belle. Le cœur battant, il s'assit pour l'admirer.

Henri Lousseau

« Et voilà ! se réjouit Barnabé derrière lui. Coup de foudre
artistique ! L'art émeut, transporte, fait voyager !
Je t'avais dit qu'on trouverait l'œuvre qui te plairait. »

Henri Ratisse

Loup resta un long moment
à contempler la toile.
Puis il rejoignit ses amis.
Ils étaient toujours devant
les peintures, à écouter Maître
Hibou.

« Ah te voilà, Loup ! gronda le vieux hibou.
Et moi qui croyais que tu allais faire un effort pour
apprécier le musée... À peine arrivé, tu disparais. »

Renard Monch

29

« Où étais-tu passé ? demanda Louve à Loup
à la sortie du musée.

– J'ai grimpé sur un ours blanc, rencontré un dodo, échappé à un terrible dinosaure, résolu une énigme et je me suis promené dans une forêt merveilleuse, répondit Loup. Vous aviez raison les amis, les musées, c'est passionnant ! On y retourne quand ? »

Musée
du Loup'vre

Salvador Daloup

Direction générale : Gauthier Auzou
Responsable éditoriale : Laura Levy
Assistante éditoriale : Marjorie Demaria
Maquette : Sarah Bouyssou
Fabrication : Lucile Pierret
Relecture : Lise Cornacchia

www.auzou.fr

 Rejoignez-nous sur Facebook et suivez l'actualité des Éditions Auzou.
www.facebook.com/auzoujeunesse

Mes p'tits albums de Loup

Mes grands albums de Loup